P9-BHU-026

poesía Hiperión, 249

ANA ROSSETTI

PUNTO UMBRÍO

(1995)

FOTO: CARLOS BULLEJOS

ANA ROSSETTI

PUNTO UMBRÍO

Hiperión

poesía Hiperión
Colección dirigida por Jesús Munárriz
Diseño gráfico: Equipo 109
Dibujo de cubierta: Jorge Artajo, "El guardián de sueños"

Calle de Salustiano Olózaga, 14 28001 Madrid Tfno.: [91] 577 60 15
ISBN: 84-7517-440-X Depósito legal: M-11.796-95
Artes Gráficas Géminis, S. L. San Sebastián de los Reyes (Madrid)

IMPRESO EN ESPAÑA *PRINTED IN SPAIN*

He hecho de mí un enigma a vuestros ojos.
Ésta es mi trágica dolencia.

SAN AGUSTÍN

I

HUBO UN TIEMPO,
tiempo de la invención y la torpeza,
en el que la soledad era un esplendoroso y pavoroso exilio, donde se conspiraba contra la lección que no se quería aprender y se espiaba el misterio que se quería arrebatar.
Era una gruta húmeda que enrejaba la luz en los helechos,
era el rincón de los castigos donde lágrimas larvadas entronizaban, al fin, su soberanía,
era la pesadilla que aleteaba acorralada en una alcoba irreconocible,
o un corazón agazapado en su escondite maquinando citarse con venganzas, rebeldías y secretos ilícitos.
Era un tiempo de infancia y la soledad prendía su bengala tras el escudo impenetrable del silencio.
Y el punto umbrío donde se cobijaba sólo era un mágico amparo para su terco y glorioso resplandor.

II

HUBO UN TIEMPO EN EL QUE EL AMOR ERA UN intruso temido y anhelado.
Un roce furtivo, premeditado, reelaborado durante insoportables desvelos.
Una confesión perturbada y audaz, corregida mil veces, que jamás llegaría a su destino.
Una incesante y tiránica inquietud.
Un galopar repentino del corazón ingobernable.
Un continuo batallar contra la despiadada infalibilidad de los espejos.
Una íntima dificultad para distinguir la congoja del júbilo.
Era un tiempo adolescente e impreciso, el tiempo del amor sin nombre, hasta casi sin rostro, que merodeaba, como un beso prometido, por el punto más umbrío de la escalera.

III

HUBO UN TIEMPO EN EL QUE EL TIEMPO NO era fluir:
era una trenza de arena que se peinaba invariablemente.
Sus tres cabos se enlazaban, se apretaban entre sí diferenciados e inseparables.
Nada se postergaba. Nada se anteponía: era un tiempo predestinado por un singular decreto, una hélice girando, confundiéndose en una rueda brillante e invisible.
No era una edad ni una condición, sino el tiempo sin tiempo de la felicidad perfecta. Del acuerdo. De la inmóvil y sin medida duración del arrebato.
Era un punto único y misterioso en donde convergía el tiempo de la memoria, de la profecía y de los ángeles.

PERO, AHORA, LA LÁMPARA VIGILA TODA LA noche, toda la noche, toda la noche, sin saber hasta cuándo debe durar su desazón.
Porque se vive con el corazón incomunicado, atisbando cada sombra que cruza, cada pisada, cada vestigio; cualquier mutación se convierte en señal: en la alarma de no reconocer, por la alteración de la sangre, la llegada de la sentencia o de la gracia.
Porque se vive con el corazón en peligro de muerte y ya no existe deseo, ni acción, ni noticia, ni costumbre que encadene los días. Todo flota en el vacío. Se tambalea en una selva de terrores. Y ya no hay devenir, sólo división.
Sólo un instante cercenado como una única reiterada, pertinaz y torturante nota.
Porque se vive con el corazón alerta, en espera de su ejecución. Y es del todo imposible domar el río del tiempo para que fluya o se detenga sin abrir acantilados bajo nuestros pies.
Y no se puede retroceder hasta el entonces para pedir auxilio, ni acelerar el después para que el suplicio

acabe, ni aferrarse al momento para que ni lo pasado ni lo por venir pasen con sus tormentos y promesas.
No. No se puede impedir lo inminente, ni conjurar al todavía, ni pedirle que aguarde al mientras tanto, cuando el tiempo sólo es una tregua, un paréntesis en una cuenta atrás inexorable
y no hay otro alivio, ni un acaso más cierto, que el de acabar.

Y ASÍ, CADA MINUTO, SE ALARGA EN LENTOS
túneles
flotando en el vacío
y la raya que marca el término del día
es un infranqueable y elástico tabique.
Y el diablo, con su lengua vibrante, inducente,
su lengua aljofarada de insidias y tristezas,
su lengua fulgurante como un lirio escarlata,
como una onda, dúctil, pero tan decisiva
como la trayectoria de un arpón;
su lengua, me enloquece.
Si esto es lo que te espera, si esto es ya para siempre,
él me dice,
si esto es lo que le resta al resto de tu vida,
él me dice,
¿merecerá la pena?
año tras año, así, ¿resistirás?, me dice.
Pero mi voluntad no consiente en plegarse
a la razón del tiempo y su artificio
ni se deja atrapar por las prórrogas
que estiran pesadillas, por feroces pantanos

de la imaginación, por convenios impuestos
al destino, por esta incautación
de toda mi existencia.
Mi albedrío consiste en poder desertar.

NO QUIERAS DE HOY MÁS QUE, DÓCIL, EL DÍA
cumpla su plazo.
Que vaya, al vivir, siendo.
Lejos de las conjunciones de los horóscopos que no predecirán la belleza ni impedirán su destrucción.
Lejos de los sentimientos y sus ataduras que determinan las conjugaciones de las sílabas.
Del tiempo sacudido y convulso donde no hay otro ahora que en el imperativo del deseo.
Del arrepentimiento y la nostalgia que se inscriben en el tiempo imperfecto de la memoria.
Lejos del imán de las ambiciones y del reclamo de los sentidos que pertenecen al futuro inmediato de la tentación.
No, no quieras de hoy más que, enamorado, el día, al contemplarse, se conciba, se nutra y, por sí mismo, muera.
Que en sí se reconozca y se perciba
lejos de las conjuraciones de los astros y de las abjuraciones de los verbos,
lejos de esta irresistible rebeldía que, sin embargo, embarga.

PERMANECER EN LAS SOMBRAS, AL HILO DEL insomnio, hasta que la atención penetra en la noche.
En el tejido compacto de la noche.
En el uniforme, apaciguador e inmóvil tejido de la noche.
Y distinguir su trama, hebra a hebra.
Y vislumbrar la luz que, emboscada, se oculta.
Que, sin embargo, deja averiguar las pulsaciones sofocadas del acecho.
La luz que, inevitablemente, se cierne.
A qué espera para soltar su relámpago, rápido y brillante como una vena abierta.
A qué para, con su detonación, hacer que lo oscuro retroceda, se comprima, se disuelva, se absorba debajo de las cosas y se alargue tras ellas, marcando —una tras otra— las horas a su alrededor.
A qué espera para descubrir tanta variada y alterable realidad.
A qué, para trasmutar el reposo en geometría, distancia, iris, diferencia...
perturbación.

PERO QUÉ DEBO HACER.
Dónde estará el sosiego
cuando en mi corazón duran las sensaciones
inquietantes del mundo y no puedo ordenar
en un caleidoscopio
la fragmentada imagen del recuerdo.
Ni entre los atropellos de voces y rumores
ni en el retroceder hasta un tiempo anterior
de todos los reflejos que voy acumulando
encuentro algún lugar para la ciudadela
inmóvil del silencio.
Un desbrozado espacio
para asentar la nada.

SE TRAICIONA A LA DESESPERACIÓN SI SE PIDE auxilio:
Porque el que pide, espera.
Se reniega de la soledad, manifestándola:
Porque, lo que es expresado, se comparte.
Se contradice el silencio, si se explica.
Y aun si no se explica:
Porque, el silencio, si se le atiende, habla.

AUN LA ESCRITURA DEJA ATRÁS SUS RENGLONES
desatando su incontenible estela:
impronta que reseca su lacada herida; sentimientos que se alejan hasta desvanecerse, hasta abismarse, veloces, en las ráfagas nubladas del principio.
Conforme crece se empequeñecen sus vagones de carga perecedera:imágenes que se convierten en reflejo; consignas que acumulan sus escombros, que domestican sus significados hasta que dejan de ser.
Irreversiblemente, las palabras, mientras avanzan, mientras se abren camino en el vacío, mientras su máquina demoledora persigue los instantes, van empapando, absorbiendo el agua de la clepsidra.
Van acortando el lápiz, acelerando su consunción, al intentar organizar su pervivencia.
Van desposeyéndose, transformándose, escapando, en tanto apresan y precisan y detienen.
Pues seguir no es sino dejar atrás, pasar la llana al compás de los péndulos, ahondar la saeta en el último tramo, fingiendo desdeñar, o desmentir, el pacto que liga la fragilidad a la existencia.

AMAÑADA O NO LA PARTIDA, TRUCADOS O NO los dados, se agita el cubilete.
Cúando se volcará.
Los puntos que decidirán que se ha acabado el juego cuándo se espolvorearán sobre el fieltro de la noche.
Cuándo avanzará el fin estremeciendo las baldosas; asaeteando el laberinto donde están encarcelados los días; estrechando, amenazadoramente, las tinieblas.
Cuándo se alcanzará la aldaba.
Cuándo se destrabarán las cerraduras para que el huracán invada las paredes y lo abierto en el espacio se derroche.
Cuándo se acorralarán, uno por uno, todos los alegatos y se cercenará cada garfio aferrado a los barrotes como a una extrema apelación.
Cuándo se acelerará el balanceo de los relojes hasta apurar las fechas concedidas.
Para agotar el tramo final, cuándo se adelantarán, frenéticos, los cuentaquilómetros.
En vano se buscan fómulas de clemencia, engaños, cables, mientras se es desterrado, empujado, arrojado de uno mismo.

Has perdido. Y con tu vida pagas. Con todo lo que hasta ahora era contigo y eras.
En vano confías ya en el vacío, en el más angustioso vacío, en que alguien, aún, se te cruce al vuelo y desvíe la caída.

GIRAR, GIRAR SIN ASIDEROS, ATRAVESANDO el estrecho túnel, taladrando, hundiéndose en él como un barreno de claridad desgarradora.
Mi corazón, sobrecogido, ha sido derribado por la revelación y la certeza, precipitado a través del torbellino de fotogramas anteriores: dudas y sospechas entrecortadas.
Tocan mis dedos sus límites delgados, se hieren en el bísturí que demarca la oscuridad, en el anestesiante linde de las sombras que ya no pueden refugiarme.
Voy cayendo y, en el fondo, la hoja yerta, transparente, afilada como una irrebatible verdad,
se aleja —cada vez más, cada vez más, cada vez más— de la frontera sellada de tus labios.

POR QUÉ MI CARNE NO TE QUIERE VERBO,
por qué no te conjuga, por qué no te reparte,
por qué desde las tapias no saltan buganvillas
con tus significados
y en miradas de azogue no reverbera el sol
dando de ti noticia,
ni se destapan cajas con tu música
y su claro propósito,
y ningún diccionario ajeno te interpreta.
Por qué, por qué, Amor mío,
eres mapa ilegible,
flecha desorientada,
regalo ensimismado en su intacto envoltorio,
palabra indivisible que nace y muere en mí.

TEN PACIENCIA, AMOR MÍO, Y DUÉRMETE; queda tranquilo. ¡Ay...! y con qué te embaucaré, con qué te sobornaré, cómo calmarte. Cómo contenerte en los estrechos límites de mi corazón sin que desgarres sus diques... Cómo apaciguarte en el torbellino de mi sobresalto sin que te subleves y me hieras... Cómo abrevarte sin que mis sueños se aneguen en el torrente desatado del deseo... Cómo haré para que no te precipites, indefenso y aterido, al desastre:
sino que permanezcas en mí, promesa silenciosa, emoción quieta, secreto enamorado, garantía de lo que alguna vez será:

serás posible tú, Amor, amor mío.

QUÉ SERÁ SER TÚ.
Este es el enigma, la atracción sobrecogedora
de conocer, el irresistible afán de echar el ancla
en ti, de poseerte.
Qué será la perplejidad de ser tú.
Qué, el misterio, la dolencia de ser tú y saber.
Qué, el estupor de ser tú, verdaderamente tú y,
con tus ojos, verme.
Qué será percibir que yo te ame.
Qué será, siendo tú, oírmelo decir.
Qué, entonces, sentir lo que sentirías tú.

INCONFUNDIBLE, ÚNICO COMO EL OLOR A TALCO,
a una rosa de talco, despunta el sentimiento.
¿Y cómo pretender no saber dónde está?
¿Y cómo no acudir persiguiendo su olor,
hasta esta epifanía del lado más oscuro,
más débil, de uno mismo?
¿Y cómo no aliarse contigo, corazón?
¿cómo no darse cita, a escondidas del alma
y sus razonamientos,
para entregar las llaves y consentir el rapto?
Irreductible, único como el olor a talco,
el sentimiento impone su anarquía
¿quizá es que hace falta, dar permiso,
indicar: "aquí es", apretar
a lívida navaja, punzante mariposa
que nerviosa tantea, dirigirla,
animarla a adentrarse hasta el fin?
Irrebatible, único como el olor a talco,
libera el sentimiento su crueldad, su ceguera,
sus caprichos, sus crímenes, en la estancia más íntima
del secreto.

Y nos abate juntos, nos enerva, nos doma,
nos enreda en su turbia maraña
de mentiras.
Con su aliento de cáñamo nos envenena juntos.
Y juntos nos rendimos.
Y cómo no ponernos de acuerdo, corazón,
si acaso nos descubren,
para negarlo todo, completamente todo,
encuentren, o no, pruebas.

SI RECORDARAS, AMOR MÍO, QUÉ ES LO QUE TE aguarda tras las seguras paredes de la espera.
Si recordaras cómo ¡y qué cruelmente! el deseo atendido oculta su puñalada de decepción.
Si recordaras que, una vez que la pasión estalla, el secreto deja de ser escudo y huída,
no me insistirías para que te mostrara, para que te ofreciera, para que te otorgue.
Sino que te resignarías a sobrevivir dentro de mí en el dúctil territorio de los sueños, donde todos los modos de ternura que puedas inventar son permitidos, toda tempestad música y ningún temor es irrevocable.
Si recordaras, Amor mío, qué es lo que te aguarda tras las seguras paredes de mi corazón,
no me obligarías a levantarme en armas contra ti, a detenerte, a desmentirte, a amordazarte, a traicionarte...
antes de que te me arrebaten, dulce silencio mío,
mi único tesoro, insensato e irreductible sentimiento.

EL QUE ENCUENTRA PRETEXTO EN LAS AGUJAS
para ensartar camellos
o abre ojos en puentes para igualar contrarios
o se empeña en arrebatar los arcanos de sus cerraduras
y se obstina en que lo imposible sea,
no te conoce, quietud, misterioso vacío, lugar inamovible,
punto impar, cero sagrado.
No conoce tu acorde, exacto y simultáneo como la vibración de un color, ni la pureza de tu eterna armonía,
ni la sabiduría de tu pupila imperturbable
ni la seguridad de una estrella fija en medio de los giros de los astros.
Ni te respeta.
Y prefiere entregarse a la inútil metalurgia de transformar lo inalcanzable para olvidar que,
ni aun lo probable,
está en nuestras manos.

Y, PUES DEBE APRENDERSE QUE LA DIFICULTAD
hay que vencerla
y lo imposible asumirlo, se separarán ambos.
Y en la dificultad se probará el entusiasmo y en lo imposible el amor.
Porque se amará lo imposible y se amará tal cual es: estático y permanente, como una referencia en el cambiante transitar del tiempo.
Y se contemplará su círculo de hielo, duro e impenetrable, sin que la atención violente sus enigmas.
Y se reconocerá el vértigo ilimitado del envés de los números y sus raíces sin que la conciencia conduzca su recuento.
Y se mantendrá lejos de los afanes cotidianos, sin que la pasión de dominar traicione con su atrevimiento ni engañen los deseos de poseer con sus sugestiones.
Sin tratar de apresar.
Sin tratar de pactar.
Sin caer en la tentación de sustituir.

QUÉ HACER PARA PERSEVERAR,
qué, para no desalentarse.
Para velar el fuego sin que se extinga, sin que devore.
Para que un tumulto de impaciencia se envaine en la precisión del tiempo,
el dolor parta su ímpetu en amaestradas pulsaciones
y en la impasibilidad de una máscara se funda, solemne,
el desengaño.
Qué hacer para no olvidar sin sucumbir,
para que no prevalezca la constancia a expensas de un obstinado y patético combate...

AUNQUE MUESTRES TUS CARTAS,
ofrezcas recompensas o te vengues;
aprendiz del halcón urdas tus cetrerías,
tiendas, como la araña, seducciones
o igual que la paloma envíes tus poemas,
llevas las de perder.
Bien que te lo advertí, niño desobediente.
Pero ¿por qué elegiste el fruto envenenado?
¿Por qué, di?
Ha irrumpido en tu reino el amor con su plaga
de fiebre y desventura
y ahora ya no hay remedio, mi corazón suicida:
estás muerto de muerte enamorada.

CON LA EXACTITUD CON QUE UNA ARAÑA
desenreda su diana,
con el rigor con que tensa sus hilos y el eterno presente que dilata su acecho, así discurre el tiempo allá, en alguna parte.
Pero no siempre se puede posponer la captura.
A veces, los ojos devanan lo que ven y lo conducen hasta centrarlo en el punto de mira, la emoción empuja, se sitúa en los brocales del peligro y el escalpelo de la revelación irradia su declaración irrevocable.
A veces, sí, a veces, la memoria —más clara que la luna en Enero— avizora, atrae, rescata y no consiente que lo pasado pase.

ALGÚN DÍA HOY NO HABRÁ OCURRIDO: pálido dibujo, inasible sensación en el imán de la memoria.
Porque nada es intacto en su pureza, nada es perdurable en su continuidad, ninguna fuerza puede conservar, siempre, la intensidad de su tensión.
Hasta cuándo el hilo tembloroso del momento podrá sostener esta angustia antes de precipitarla, de disolverla, de que la engulla, insaciable, el olvido...
Porque, mientras tanto, sólo sé que vivo en un presente de inmóvil desconsuelo.

SI EL VASO EXISTE PARA DAR FORMA A LA SED,
el dolor para calibrar la prueba y, con las sombras,
los agudos relieves de la luz se afilan,
por qué no entiendes que tú, sólo para que él sea, eres:
Tu belleza es su idea; tu tristeza, su falta;
tu razón, lo que en ti de él concibes.
Dentro de ti, a ti se adhiere y te rebosa:
aciruelado y palpitante ocaso,
y tú, corazón mío, eres su semblante, su dominio
y su huella.
Sin él, tan sólo eres veleta que señala, no el lugar,
pupila que retiene la deslumbradora danza de las
llamas, no su ardorosa devastación,
el acuciante rastro de un perfume, no su esencia.
Por ti y en ti, tú no eres nada.
Y él, en sí mismo, siempre será Amor.

MIS PAREDES, MI CALMA Y MI VIGILIA:
el recinto y el tiempo de estar en mí, conmigo.
A salvo, finalmente.
Completamente a salvo
del dolor, la razón y el consuelo.
Sin temblor. Sin temor.
Sin atender a nada. Sin aguardar siquiera
a que suceda algo.
Obediente cautivo que enhebra sus jazmines
en insistentes cifras, cada noche,
que en su ábaco ordena las estrellas,
así yo voy limando bayonetas y heridas
de rencores y lágrimas.
Porque ya nada importa.
Mientras tanto, las sirenas, gimiendo,
cruzan las avenidas,
el ámbar parpadea en las encrucijadas,
y, en húmedas alcobas, la soledad tantea,
se desliza por el empapelado
y abarquilla sus bordes.
Sacudo la tristeza que espolvorea mis sábanas

de rabia y de alfileres.
Precinto con silencio la derrota.
No me rindo. No entrego:
simplemente, abandono.
Me oculto en el olvido como en un hondo aljibe
al margen de la estrella, el jazmín y la lágrima.

CREÍ QUE TE HABÍAS MUERTO, CORAZÓN MÍO, en Junio.
Creí que, definitivamente, te habías muerto:
sí, lo creí.
Que, después de haber esparcido el revoloteo púrpura de tu desesperación, como una alondra caíste en el alféizar; que te extinguiste como el fulgor atemorizado de un espectro; que como una cuerda tensa te rompiste, con un chasquido seco y terminante.
Creí que, acorralado por tus desvaríos, traicionado por los todavías, alcanzado por las evidencias, exhausto, abatido, habías sido derribado al fin.
Y contigo, se desvanecieron los engarces entre sentimientos, imágenes, suposiciones y pruebas.
Se me fueron abriendo las costuras de la memoria: ya me estaba acostumbrando a vivir sin ti.
Pero tus fragmentos estallados se han ido
buscando, encontrando, cohesionándose como gotas de mercurio, sin cicatriz ni señal.
Y ahí estás, otra vez inocente, sin acusar enmienda ni escarmiento, guiando, dirigiendo, adentrando en ti el

peligro, como si fueras invulnerable o sabio, como si, recién nacido apenas, ya fueras capaz de distinguir, en el mellado filo del clavel,

la espada.

HAY SUEÑOS QUE NO MUEREN. SE EMPEÑAN
en ser sueños.
Ajenos a la comba de la esfera
y a las operaciones de los astros,
trazan su propia órbita inmutable
y, en blindadas crisálidas, se protegen
del orden temporal.
Por eso es que perduran:
porque eligen no ser.
Negándose se afirman,
rehusando se mantienen, como flores de cuarzo,
indestructibles, puros, sin dejarse arrancar
de su durmiente ínsula.
Intactos en el tiempo,
son inmunes a la devastación
que en cada vuelta acecha, inhumana,
a la pasión que exige y que devora,
a la desobediencia y extravío
que en los vagabundeos centellean.
Monedas que el avaro recuenta sigiloso
nunca salen del fondo del bolsillo.

No ambicionan. No arriesgan. No conquistan.
No pagarán el precio del fracaso,
la experiencia, la determinación,
la ebriedad o el placer.
Sólo son impecables subterfugios.

NAVÍO DESVELADO, CORAZÓN MÍO,
que atraviesas la anchura de la desolación con tanta tenacidad como inconsciencia.
Alguna vez, un faro tropieza en su barrido con tu titubeante vaivén y, entonces, te sonríes y empavesas tus mástiles para saludar a un quimérico puerto.
Resuenan, en la niebla, las bocinas, ebrias ante el presentimiento de la proximidad y la brújula olfatea, serpentea, recorre cada radio, atraviesa los círculos, cerca el confín de la distancia.
Pero el horizonte, imperturbable, sólo muestra tu íntimo precipicio, tu inabarcable desierto interior.

COMO SI UNA LINTERNA ME ARRANCARA
de en medio de la noche,
así me descubriste, así me señalaste.
Así horadaste mis silencios escarpados y troquelaste las fronteras de mi isla.
Nombrándome me expones, me sitúas en el ojo de la diana.
No hay lugar para el ardid, no hay escondite.
Soy blanco paralizado, centro de tu voluntad, destino de tu atención y tu advertencia.
¿A qué esperas?
No rehúyo la luz.
Hágase en mí lo que tu dardo indica.

ÍNDICE

Página